Pour Alice

© 2009 Éditions Mijade
   18, rue de l'Ouvrage
   B-5000 Namur

© 2009 Quentin Gréban

   ISBN 978-2-87142-664-6
   D/2009/3712/30

   Imprimé en Belgique

Dis Maman…
pourquoi les dinosaures
ne vont-ils pas à l'école?

Quentin Gréban

Mijade

« Dis Maman,
    pourquoi les poissons rouges
    n'aiment-ils pas les requins ? »

« Parce qu'ils prennent toute la place »,
    répond Maman.

«Dis Maman,
   pourquoi les oiseaux migrateurs
   volent-ils d'un pays à l'autre?»

«Parce que les bus sont déjà remplis»,
répond Maman.

«Dis Maman,
   pourquoi les canetons évitent-ils les fêtes foraines?»

«Parce qu'ils ont bien trop peur qu'on essaie de les pêcher»,
répond Maman.

«Dis Maman,
   pourquoi les ours n'entrent-ils jamais
   dans les magasins de jouets?»

«Parce qu'ils perdaient leurs petits au rayon des peluches»,
répond Maman.

«Dis Maman,
    pourquoi les mammouths
    ne sont-ils pas admis dans les plaines de jeux?»

«Parce que ce serait de la triche!»
répond Maman.

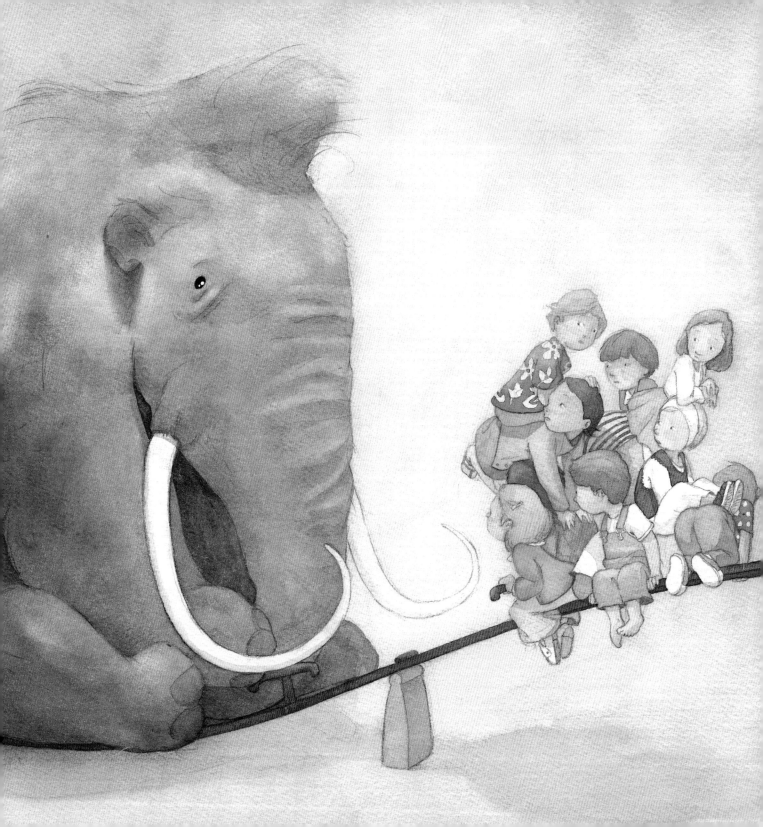

«Dis Maman,
    pourquoi les petits singes
    ne boivent-ils pas leur lait au biberon?»

«Parce que c'est plus rigolo avec une paille»,
répond Maman.

«Dis Maman,
    pourquoi les caméléons ne rougissent-ils pas
    quand ils sont amoureux?»

«Parce qu'ils préfèrent le dire avec des petits cœurs»,
répond Maman.

«Dis Maman,
      pourquoi les chevaux ne vont-ils pas chez le dentiste?»

«Parce qu'ils se moquent d'avoir un joli sourire»,
répond Maman.

« Dis Maman,
    pourquoi les hérissons
    ne sont-ils pas invités aux anniversaires ? »

« Parce qu'ils font trop de dégâts »,
répond Maman.

« Dis Maman,
    pourquoi les loups
    ne se déguisent-ils pas pour Halloween ? »

« Parce qu'ils choisissent trop mal leur déguisement »,
répond Maman.

« Dis Maman,
   pourquoi les éléphants ne se baignent-ils pas
   dans les petites piscines gonflables ? »

« Parce qu'ils n'ont pas de maillot »,
répond Maman.

«Dis Maman,
   pourquoi les crocodiles ont-ils de si grandes dents?»

«Parce que c'est bien utile pour manger les petites filles
qui posent trop de questions», répond Maman.